Een spin
zonder poten

STICHTING NEDERLANDSE
KINDERJURY
2004

© 2003 Educatieve uitgeverij Maretak
Postbus 80, 9400 AB Assen

Tekst: Anne Takens
Illustraties: Lucy Keijser
Vormgeving: Heleen van Keulen
DTP Gerard de Groot
ISBN 90 437 0181 5
NUR 140/282
AVI 4

Een spin
zonder poten

Anne Takens
illustraties: Lucy Keijser

educatieve

uitgeverij

Maretak

I Bang

'Jesse, eet eens door!
Je moet naar school.'
Jesse staart naar zijn boterham met kaas.
Met een zucht neemt hij een hap.
Hij heeft helemaal geen trek.
'Heb je pijn in je buik?' vraagt zijn moeder.
Jesse schudt van nee.
'Wat is er dan?'
'Ik ben bang.'
'Waar ben je bang voor?
Vertel eens?'
Jesse zegt niets.
'Voor wie ben je bang, Jesse?' vraagt mama weer.
'Voor Stijn.'
'Voor Stijn?
Dat is toch je vriend?'
'Nu niet meer', zegt Jesse.
'Want hij is gemeen!'
'Wat doet hij dan?' vraagt mama.
Jesse haalt diep adem.
'Hij heeft mijn arm omgedraaid.
Dat heet prikkeldraad.

En het doet heel erg pijn!
En Stijn doet nog meer.
Hij pest dieren.'
Zijn moeder kijkt verbaasd.
Ze zegt: 'Wat raar!
Stijn was altijd een lief joch.'
Jesse roept boos: 'Maar nu is hij vals!'
Hij pakt zijn rugzak
en stopt zijn brood erin.
Zijn moeder doet er nog een appel bij.
Ze vraagt: 'Heb jij Stijn soms geplaagd?'
'Nee ...', zegt Jesse.
'Wees eerlijk, Jes!'
'Nou ja, twee keer maar', geeft Jesse toe.
'Op een dag wist Stijn een som niet.
En die was heel gemakkelijk!
Toen zei ik 'stom rund' tegen hem.
En een andere keer waren we aan het voetballen.
Stijn stond in het doel.
Maar hij liet alle ballen door.
We verloren met tien-nul!
En toen riep ik 'domme oen' tegen hem.
Hij ging met me vechten.
En ik won.'
Mama schudt haar hoofd en zegt:
'Jesse, jij bent ook geen lieverdje.
Dat hoor ik wel.

Maak het maar gauw goed met Stijn.
Beloof je dat?'
Jesse trekt de voordeur open.
'Dag, mam!'
Zijn moeder zwaait hem na.
Maar Jesse kijkt niet om.
Hij denkt aan de dag daarvoor.
Toen zat er een kikker in zijn rugzak.
Een vieze, dode kikker.
En in zijn laatje lag een slak.
Een naaktslak.
Hij was in twee stukken geknipt.
Wie had dat gedaan?
'Stijn natuurlijk!' roept Jesse.

Hij loopt door het park.
Dat ligt onder aan de dijk.
In de verte staat zijn school.
Het dak steekt boven de bomen uit.
Hij hoort de schoolbel al!
Oei! Hij is bijna te laat!
Jesse rent en rent.
Hij denkt aan zijn klas.
Wat zou er nu weer in zijn laatje liggen?
Een rotte peer?
Of een dode rat?
Het hart van Jesse bonst.
Hij is bang ...

2 Een nieuw kind

Jesse holt de klas in.
De kinderen zitten al in de kring.
Juf Lot trekt Jesse naar zich toe.
'Wat ben je laat, jongen!'
Jesse ploft op zijn stoel.
Hij kijkt de kring rond.
Waar is Stijn?
Juf zegt dat Stijn ziek is.
Jesse haalt opgelucht adem.
Vandaag hoeft hij niet bang te zijn!
Juf leest een verhaal over een paard.
Daarna mogen de kinderen iets vertellen.
Over een dier dat ze lief vinden.
Jordie praat over zijn hond.
En Bart over zijn poes.
Sanne vertelt over haar pony.
Ze kan er al goed op rijden.
Roy heeft een verhaal over zijn kip.
En Anne laat haar knuffel zien.
Het is een zeehond.
De kinderen mogen hem aaien.
Hij is lief en zacht.

Opeens gaat de deur van de klas open.
Er holt een meisje naar binnen.
Ze heeft bruine wangen en zwart haar.
Daar zitten wel honderd vlechtjes in.
En onder aan die vlechtjes bungelen kraaltjes.
Ze roept: 'Hoi!
Ik heet Bibi!'
Juf Lot zegt: 'Dag Bibi.
Kom maar bij ons in de kring.'
Naast Jesse is een stoel leeg.
De stoel van Stijn ...
Bibi ploft erop en vertelt:
'Ik ben een nieuw kind.
En ik kom uit een ander land.
Daar is het altijd zomer.
Maar nu woon ik hier in het dorp.
Is het leuk op deze school?'
Juf Lot zegt lachend:
'Ja, het is hier gezellig.
We zijn blij dat je er bent, Bibi!
Kijk eens naar het bord?'
Op het bord heeft juf een vlag getekend.
Onder de vlag staat:

VOOR BIBI
WELKOM OP ONZE SCHOOL.

'Hoera!' roept Bibi.

Dan mag ze ook iets over een dier vertellen.

Ze zegt: 'Vroeger had ik een vogel in een kooi!

Die kon mijn naam zeggen.

En ik had ook een aap.

Soms klom hij op mijn hoofd.

Dan trok hij aan mijn haar!

Maar hier heb ik geen huisdier meer.

Mijn moeder vindt dat te lastig.

Want als we op vakantie gaan,

dan moet het dier in een asiel.

En dat is zielig.'

Jesse roept: 'Dat zegt mijn moeder ook altijd!'

'Dan lijken we op elkaar!' roept Bibi.

Jesse krijgt kriebels in zijn buik.

Hij vindt Bibi lief.

Ze ruikt lekker.

Naar zeep.

En ze heeft leuke tanden.

Die steken een beetje naar voren.

Net als bij een konijn.

Het staat grappig.

Juf Lot klapt in haar handen.

'Jongens, het is tijd voor de rekenles!

Pak je stoel!

En ga bij je tafeltje zitten.'

Jesse vraagt: 'Juf, mag Bibi naast mij?
Want Stijn is er toch niet vandaag.'
Juf Lot vindt het goed.
Bibi heeft haar rugzak vergeten.
Ze mist dus haar pen.
Maar Jesse heeft er wel tien.
Hij geeft Bibi zijn mooiste.
Een rode, met glitters erop.
'Je mag hem houden', zegt hij.
Bibi lacht heel lief naar Jesse.
Jesse krijgt er een kleur van!

3 Spin

Het is twaalf uur.
Jesse blijft over op school.
En Bibi ook.
Het is mooi weer.
De kinderen mogen buiten eten van de juf.
Bibi heeft honger en dorst.
Wat dom dat ze haar rugzak niet bij zich heeft.
Van Jesse krijgt ze een broodje met kaas.
En zijn pakje appelsap.
Bibi neemt een hap van het brood
en slurpt het pakje sap leeg.
Dan graait ze in de zak van haar broek.
Er komt een schelp uit.
Een schelp met een gaatje.
Hij is roze en hij ruikt naar de zee.
Bibi zegt: 'Jij mag hem hebben.'
Jesse stopt de schelp in zijn rugzak.
'Niet kwijtraken, hoor!' roept Bibi.
'Nee, tuurlijk niet', zegt Jesse.
Bibi schuift naar hem toe.
'Vind je mij lief?' vraagt ze.
Jesse knikt.

Zijn wangen worden rood.
Hij wil Bibi een kus geven.
Maar hij doet het niet.
Hij geeft haar zijn appel.
Bibi zet haar tanden erin.
Ze eet de appel half op.
De andere helft mag Jesse.
Hij smaakt extra lekker!

Die middag hebben ze tekenles.
Bibi leent de viltstiften van Jesse.
Ze kiest een gele en een blauwe stift uit.
Dan tekent ze de zee.
'Dit was mijn zee', zegt ze.
En ze kleurt de zee blauw.
'Dit was mijn strand', zegt ze.
En ze kleurt het strand geel.
'Dit was mijn boom', zegt ze.

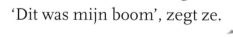

En ze kleurt de boom groen.
Het is een palmboom, met een aap erin.
Bibi heeft een liniaal nodig.
'Heb jij er een voor mij, Jes?'
'Nee, ik niet', zegt Jesse.
'Maar Stijn misschien wel.'
Jesse zoekt in het laatje van Stijn.
Hij haalt er een latje uit.
En een zwart doosje.
'Wat zit daarin?' vraagt Bibi.
'Weet ik niet', zegt Jesse.
Nieuwsgierig doet hij het open.
Er zit een spin in!
Een spin zonder poten!
De poten liggen om de spin heen.

'Juf, juf!' roept Bibi.
'We hebben iets ontdekt!
Het lag in het laatje van Stijn!
Het is een dode spin!
Met de poten eraf!
Dat is heel zielig!'

Bibi holt naar juf Lot.

Ze houdt het doosje onder jufs neus.

'Brrr ...!' zegt juf Lot.

'Ik ben bang voor spinnen.'

Juf gooit het doosje in de prullenbak.

'Teken maar door, Bibi', zegt ze.

'Maar geen spinnen, hoor!'

Bibi tekent haar huis van vroeger.

In het land waar het altijd zomer is.

In de tuin zit een vogel in een kooi.

Het is een papegaai.

Bibi kleurt hem rood, groen en geel.

'Mooi ...', zegt Jesse.

Maar hij moet steeds aan de spin denken.

De spin zonder poten.

4 Dierenbeul?

De school is uit.
Jesse en Bibi lopen over het plein.
'Waar woon jij?' vraagt Bibi.
'In de Maaslaan', zegt Jesse.
'En jij?'
Bibi begint te giechelen.
'Ik woon in een hol onder de grond.'
Jesse kijkt Bibi verbaasd aan.
'Grapje!' roept Bibi.
'Ik woon op een boot.
Een woonboot.
Maar over een poos krijgen we een echt huis.'
'Waar ligt die boot?' wil Jesse weten.
Bibi zegt: 'In de vaart, bij de molen.
Aan de overkant zijn oude huisjes.'
Jesse roept: 'Ja, dat weet ik!
Want daar woont Stijn!
Heb je hem wel eens gezien?
Hij heeft rood haar en bolle wangen.'
Bibi schudt haar hoofd.
Nee, die jongen kent ze niet.
Ze vraagt: 'Kom je bij me spelen, Jes?'

Jesse zegt: 'Nee, want ik moet naar ...'
'Zeker naar voetbal', bedenkt Bibi.
'Dat doe je morgen maar.'
Ze pakt zijn hand.
Samen hollen ze het park door
en een trap op.
Boven aan de trap is de dijk.
In het gras staan paardebloemen.
Bibi plukt er een af.
Er zit een pluisbol op.
'Blazen!' roept ze.
Jesse haalt diep adem.
Hij blaast alle pluizen eraf.
De wind neemt ze mee.
Bibi zegt: 'Nou krijg je geluk, Jesse!'
Jesse lacht.
Hij zegt:
'Ik heb altijd al veel geluk.
Want ik heb pas een computer.
En ik ben een kei in rekenen.
Ik heb geluk zat!'
Bibi vraagt:
'Heb je dan nooit eens pech?'
'Nooit!' roept Jesse blij.
Hij begint te huppelen
en Bibi doet mee.
Opeens roept ze: 'Stop!'

Op het pad kruipt een slak.
Bibi raapt hem op.
Ze zet hem op de stam van een boom.
'Anders trapt iemand hem kapot', zegt ze.
Jesse zegt: 'Stijn heeft een slak doorgeknipt.
Hij lag in mijn laatje.'
'Wat gemeen!' roept Bibi.
'Stijn is een dierenbeul!'
Jesse krijgt een rimpel boven zijn neus.
Hij zegt: 'Toch snap ik dat niet.
Want Stijn heeft een hond.
Hij heet Doedas.
Vroeger was ik de vriend van Stijn.
En toen speelden wij met Doedas.

Elke dag.

Doedas kon kunstjes doen.

Hij kon door een hoepel springen.

En dansen als een clown.

Stijn houdt veel van Doedas.

Hoe kan hij dan een dierenbeul zijn?'

Bibi haalt haar schouders op.

'Dat snap ik ook niet.'

Ze begint te rennen en Jesse holt mee.

Opeens staat hij stil bij een hek.

Hij wijst: 'Daar is de kinderboerderij!

Daar ben ik elke dag.

Na school.'

Bibi zegt: 'Dus jij zit niet op voetbal!

Je zit op ... op de kinderboerderij!'

Jesse lacht.

'Ga je even mee?'

'Jippie, ja!' juicht Bibi.

'Want ik ben daar nog nooit geweest!'

5 Tippie

Jesse weet de weg op de kinderboerderij.
Hij laat Bibi alles zien.
Eerst gaan ze naar de koeien.
Ze hebben net kalfjes gekregen.
Bibi aait een kalfje over de neus.
'Boeh, boeh!' roept de moederkoe.
Bibi schrikt ervan.
Ze rent gauw naar de geitjes.
Die staan in dezelfde stal in een hok.
Bibi geeft ze een bosje hooi.
Jesse roept: 'Kom mee, Bibi!
Dan gaan we naar de varkens!'
In het varkenshok is het warm.
De varkens liggen te slapen.
Jesse vertelt hoe ze heten.
'Die grote is de vader.
Hij heet Joris.
En die dikke heet Toos.
Er zitten biggetjes in haar buik.
Ze worden gauw geboren.'
Bibi roept: 'Wat stinkt het hier!'
Ze knijpt haar neus dicht.

Buiten laat ze hem pas los.
Daar stapt een pauw rond.
Hij spreidt zijn veren uit.
'De pauw heet Felix', zegt Jesse.
'En zie je die kippen daar?
Die heten An, Toos en Jansje.
Maar voor die kippen zorg ik niet.
Ik zorg maar voor één dier.
Wil je hem zien?'
Hij trekt Bibi mee naar een pleintje.
Daar staan tien hokken.
Er zitten konijnen in.
'Deze vind ik lief!' roept Bibi.
Ze wijst naar een dik, bruin konijn.
Het dier lijkt op een hondje.
Jesse doet het hok open.
Hij tilt het konijn eruit.
Trots zegt hij: 'Dit is het dier waar ik voor zorg.

Hij heet Tippie.'
Bibi wil Tippie ook even vasthouden.
Dat mag van Jesse.
Bibi aait hem over zijn oren
en legt haar wang tegen zijn vacht.
Opeens horen ze het geklos van klompen.
Tom komt eraan.
Tom is de verzorger van de dieren.
Hij heeft een pet op zijn hoofd.
'Hoi Jesse!
Wie is dat meisje?'
'Ze heet Bibi', zegt Jesse.
'En ze zit naast mij in de klas.
Ze komt uit een ander land.'
Tom lacht naar Bibi en vraagt:
'Willen jullie het hok van Tippie uitmesten?'
'Ja, leuk!' roept Bibi.
'Gaaf!' roept Jesse.
Tom zet Tippie in het hok van Grijsje.
Dat is een piepklein konijntje.
Jesse en Bibi gaan aan het werk.
Jesse veegt het vuile stro uit het hok
en Bibi legt er schoon stro in.
Jesse vult het flesje van Tippie met water
en Bibi doet voer in zijn bakje.
Na een uur is alles klaar.
Tippie mag even op het gras spelen.

Hij knabbelt aan een groen blaadje.
Bibi geeft Tippie een kus.

'Is hij nu van ons samen, Jesse?'
'Tuurlijk!' roept Jesse.
Hij zet Tippie terug in zijn hok.
Tom sluit het deurtje met twee knippen.
'Anders loopt Tippie weg', weet Jesse.
Dan wijst hij naar de kruiwagen van Tom.
Er ligt een rol prikkeldraad in.
'Wat ga je daarmee doen, Tom?'
'Vastmaken', zegt Tom.
'Op het hok van Tippie?' vraagt Jesse.
'Nee', zegt Tom.
'Op de hekken van de boerderij.'
'Waarom moet dat?' vraagt Bibi.
Tom legt het uit.
''s Avonds klimmen er wel eens
jongens over het hek.
Dan gaan ze hier keet trappen.
En ze plagen de dieren.'
'Wat flauw!' roept Bibi.

'Wat vals!' zegt Jesse.
'Dat vind ik ook', zegt Tom.
Tom legt een hamer in de kruiwagen.
En een grote tang.
Jesse vraagt: 'Mogen wij je helpen?'
Jammer.
Het mag niet.
Tom doet het liever zelf.
Hij zegt: 'Tot morgen, jongens!'
'Tot morgen!' roepen Bibi en Jesse.
Bibi vraagt:
'Jesse, ga je mee naar mijn woonboot?
Je mag ook bij ons eten.
Dan bel je straks even naar je moeder
en vertel je dat je bij mij bent.'
'Gaaf!' roept Jesse.

Op de dijk zien ze vier grote knullen.
Ze hangen over een hek
en schreeuwen naar de ganzen.
Bibi stoot Jesse aan.
'Dat zijn vast die nare jongens!
Waar Tom over vertelde!'
Ze stapt naar de knullen toe en roept:
'Jongens, hou op!
Jullie mogen de dieren niet bangmaken!
Klimmen jullie 's avonds over het hek?

En gaan jullie dan keet trappen?'
De jongens lachen Bibi uit.
'Nee, wij wachten hier op onze verkering!
We gaan stappen in de stad.
Hup, naar je mammie, ukkie!'
Bibi kijkt boos.
Ze roept: 'Ik ben geen ukkie!
Ik zit allang in groep vier!
En ik heb ook al een vriendje!
Hij heet Jesse.
Dag, domme jongens!'
Ze steekt haar tong uit en pakt Jesses hand.
'Kom op! Rennen!
Naar mijn boot!'

6 Mieren

De woonboot van Bibi is een huis op het water.
Het huis deint zachtjes op en neer.
In het keukentje staat Bibi's moeder.
Ze roert in een pan.
'Dag mam!' roept Bibi.
'Dit is Jesse!
Hij zit in mijn groep.
En hij blijft eten!'
Bibi's mama lacht naar Jesse.
'Dag lieve jongen', zegt ze.
Dan gaat ze weer koken.
Ze zingt er een liedje bij.
Jesse kan het niet verstaan.
Maar het klinkt heel vrolijk.
Bibi geeft hem de telefoon.
Jesse belt zijn moeder.
Hij mag bij Bibi blijven eten.
Maar daarna moet hij direct naar huis.
'Kom', zegt Bibi.
'Dan gaan we naar mijn kamer!'
Bibi's kamer is piepklein.
Aan de muur hangen posters van dieren.

Op haar bed ligt een knuffel.
Het is een papegaai.
Bibi trekt aan een touwtje.
De papegaai begint te praten.
Hij roept: 'I love you! I love you!'
Bibi lacht.
'Weet je wat hij zegt?
Ik hou van jou!
En ik hou ook van jou, Jesse!'

Bibi geeft Jesse een kus.
Op zijn oor.
Jesse krijgt er een kleur van.
Dan doet Bibi het raam open.
Vlakbij stroomt het water van de vaart.
Het glinstert in de zon.
Aan de overkant zijn oude huisjes.
Jesse knijpt zijn ogen tot spleetjes.
In een tuin ziet hij een jongen staan.

Hij heeft rood haar en bolle wangen.
De jongen kijkt uit over het water.
Hij staat heel stil.
Zijn kuif waait op in de wind.
Is dat Stijn?
Jesse maakt een toeter van zijn handen.
Hij roept: 'Stijn! Stijn!
Ik ben hier!
Op de boot!'
De jongen draait zich om.
Hij loopt de tuin door en gaat het huis in.
Was dat Stijn wel?
Of iemand anders?
Jesse weet het niet.

Bibi's moeder komt de kamer in.
Ze zegt: 'Jongens, het eten is klaar!'
Ze smullen van rijst met kip.
Als toetje mogen ze een ijsje.
Bibi kiest een raket.
En Jesse een hoorntje met kersen erop.
Ze gaan op de kade zitten, in de zon.
Bibi's ijsje smelt.
Er valt een brok op de stoep.
Al snel komen er mieren op af.
'Bah, mieren', zegt Jesse.
Hij zet zijn schoen op de beestjes.

En hij trapt ze dood.
Bibi roept: 'Wat gemeen!
Die mieren doen jou toch niks?'
Jesse zegt: 'Ik vind mieren vies.'
Bibi kijkt hem boos aan en zegt:
'Je bent een dierenbeul, Jesse!'
Jesse schrikt.
Is hij ook een dierenbeul?
Net als Stijn?
Wat hij deed is toch niet erg?
Mama strooit altijd mierenpoeder op de stoep.
Omdat de mieren anders het huis in kruipen.
En daar krijgt mama de kriebels van.
Op een dag zaten er mieren in zijn bed!

Ze renden over zijn benen.
Dat was niet leuk!
Bibi pakt een miertje op.
Ze zet hem op een grasspriet.

'Ben je nog boos?' vraagt Jesse.
'Nee', zegt Bibi.
'Maar je mag nooit meer mieren doodmaken.'
'Beloofd', zegt Jesse.
'En nu moet ik naar huis.'
Hij zwaait naar Bibi's moeder.
En dan rent hij de dijk op.
Nog even kijkt hij om.
Bibi staat op de kade
met haar papegaai in haar armen.
De papegaai roept: 'I love you! I love you!'
Jesse lacht.
Bibi is vast niet boos meer.

7 Tranen

Jesse heeft zich verslapen.
Nog net op tijd komt hij de klas in.
Hij schrikt.
Stijn is er weer.
Stijn staat bij het tafeltje van Bibi.
Hij rukt aan haar arm en gilt:
'Ga van mijn stoel af!'
Jesse krijgt bibbers in zijn maag.
Met grote ogen kijkt hij naar Bibi.
Bibi houdt zich vast aan de tafelrand.
Ze schudt haar vlechtjes heen en weer
en roept: 'Nee! Ik ga niet weg!
Ik blijf naast Jesse zitten.
Het mag van juf Lot!'
Juf loopt naar Stijn toe.
Ze zegt: 'Stijn, moet je horen.
Dit meisje is nieuw in onze groep.
Ze heet Bibi en ze komt uit een ander land.
Bibi en Jesse zijn vrienden geworden.
Mag Bibi naast Jesse zitten?
Dan mag jij bij Sanne en Jop.
Lekker voor het raam.

Vind je dat goed?'
Stijn knikt, maar dan begint hij te huilen.
Juf Lot slaat haar arm om hem heen.
'Wat is er nu, Stijn?'
Stijn geeft geen antwoord.
Hij blijft maar snikken.
Juf Lot haalt een glas water.
Ze laat Stijn drinken.
Dan pakt ze zijn spullen uit zijn laatje.
Ze legt ze op het tafeltje bij het raam.
Stijn ploft naast Sanne op een stoel.
Hij boent zijn wangen droog.
Jesse moet steeds naar hem kijken.
Bibi stoot hem aan.
'Zit niet te dromen, Jes!
We moeten een verhaal schrijven van juf.
Ik schrijf over Tippie.
En jij?'
Jesse pakt zijn pen.
Hij loert weer naar Stijn.
Stijn maakt een kras in zijn schrift.
Een boze kras.
Juf Lot merkt het niet.
Ze kijkt sommen na.
Jesse zucht.
Wat doet Stijn toch raar.
Hij heeft nu toch een fijn plekje?

Bij Jop en Sanne?
Jesse bijt op het dopje van zijn pen.
Hij wil een verhaal maken over Tippie.
Maar het lukt niet.
Alle woorden hebben zich verstopt
in zijn hoofd.
Dan maakt hij maar een tekening.
Maar die lukt ook al niet zo goed.
Tippie lijkt niet op een konijn.
Hij lijkt meer op een rolmops.
Een rolmops op pootjes.

8 Iets geels

Het is woensdagmiddag.
Jesse en Bibi zijn op de kinderboerderij.
Het is er druk.
Er zijn veel opa's en oma's
met kleuters en peuters.
Bibi holt eerst naar het speelveld.
Ze roetsjt van de glijbaan.
En ze klautert op het klimrek.
Dan wil ze schommelen.
Jesse heeft geen zin om te schommelen.
Hij holt naar het hok van Tippie.
Bah, wat is het stro vies.
Het ligt vol keutels.
Jesse pakt een veger en maakt het hok schoon.
Tom komt naar hem toe.
Met een emmer en een borstel.
Jesse vraagt: 'Zijn die knullen nog geweest?
Hebben ze weer keet geschopt?'
'Nee, gelukkig niet', zegt Tom.
'Dat komt vast door het prikkeldraad.'
Tom wijst naar het dak van Tippies hok.
Dat is groen van het mos.

'Het mos moet eraf', zegt Tom.
'Wil jij dat doen?'
'Ja, leuk!' zegt Jesse.
Hij roept: 'Bibi, kom!
Helpen!'

Jesse en Bibi gaan aan de slag.
Tippie mag even rondhuppen op het gras.
Tom houdt haar in de gaten.
Bibi poetst en Jesse boent.
Hun T-shirts worden nat en vuil,
maar dat vinden ze niet erg.
Na een poos is het dak schoon.
Het lijkt wel nieuw.
Tippie gaat weer terug in zijn hok.
Hij krijgt lekker voer van Tom.
Voor Jesse en Bibi haalt Tom een ijsje.
Dat hebben ze wel verdiend.
Ze smullen ervan.
Opeens geeft Bibi een gil.
'Ik zag Stijn!
Hij stond bij die struik!
En toen ging hij die kant op!'
Bibi wijst naar de schuur van de varkens.
'Kom mee!' roept Jesse.
Ze hollen naar de schuur.
Daar zijn moeders met kinderen.

Ze kijken naar de biggetjes.
Die zijn pas geboren.
Ze drinken melk bij moeder Toos.
Bibi stoot Jesse aan.
'Stijn!'
Stijn hangt over het schot.
Hij laat spuug vallen op de biggen
Jesse roept: 'Stijn, hou op!'
Stijn springt op de grond.
Hij slentert de schuur uit.
Bibi geeft Jesse een por.
'Kom! Erachteraan!'
Buiten kijken ze rond.
Waar is Stijn?
Hij is niet bij de kippen.
En ook niet in de speeltuin.
Ze rennen naar de stal
van de koeien.
Maar ze zien Stijn niet.
Jesse zegt: 'Hij is vast bij de pauw!'
De pauw staat op een mesthoop.
Hij spreidt zijn veren uit
en maakt er een waaier van.
Bibi roept: 'Daar heb je hem!'
Stijn loopt naar de mesthoop toe.
Hij raapt iets geels op van de grond
en gooit het naar de pauw.

De pauw schrikt en stapt van de hoop.
Het dier vouwt zijn veren dicht.
Bibi gilt: 'Dierenbeul!
Je gooide een steen naar de pauw!
We hebben het wel gezien, hoor!'
Stijn holt weg.
Bibi en Jesse gaan achter hem aan.
Stijn rent naar de uitgang.
Daar staat zijn fiets.
Stijn springt erop.

Hij fietst weg over de dijk.
Hij zit een beetje voorover.
Net of hij moe is.
Of verdrietig.
Jesse kijkt hem na.
Met een zucht zegt hij: 'Ik ga naar huis.'
'Ik ook', zegt Bibi.
'Kom je morgen bij mij?' vraagt Jesse.
'Ja, leuk!
Mag ik dan blijven eten?'
'Tuurlijk', zegt Jesse.

Op weg naar huis denkt hij steeds aan Stijn.
Waarom smeet Stijn die steen naar de pauw?
De pauw had hem toch niets gedaan?
Maar was het wel een steen?
Jesse denkt: het was iets geels ...
Een steen is niet geel.
Een steen is grijs of bruin.
Misschien was het wel een gele bloem.
Een paardebloem?

9 Brand!

Bibi is bij Jesse thuis.
Ze spelen op zijn kamer.
Met de trein en de brandweerwagen.
Ze doen ook een rekenspel.
Op de nieuwe computer van Jesse.
Dan krijgen ze dorst.
In de keuken drinken ze een blikje cola.
Bibi vraagt: 'Waar is je moeder?'
'Ze is boodschappen doen', zegt Jesse.
'Op de tafel ligt een briefje.
Daar staat op: 'Ik ben zo terug.'
En mijn vader is in Amerika.
Dat is ver weg.'
Bibi roept: 'Mijn vader is op Aruba!
Dat is ook ver weg!
Maar hij komt gauw naar Nederland.'
'Mijn vader komt ook al gauw!' zegt Jesse.
'Dan is het feest!'
Jesse laat een foto zien van papa.
'Ik vind hem lief', zegt Bibi.
'Hij heeft een snor.
Net als mijn vader.'

Jesse denkt aan Stijn.
Hij zegt: 'Stijn heeft ook een vader met een snor.
Maar hij heeft geen moeder meer.
Die is doodgegaan.'
'Wat zielig voor Stijn', zegt Bibi.
'Als ik geen moeder meer had zou ik huilen.'
'Ik ook', zegt Jesse.
Hij zet de tv aan.
Zou er een leuke film zijn?
Jesse zapt een poos.
Opeens geeft Bibi hem een stomp.
'Zet hem gauw terug, Jesse!
Ik zag Tom!'
'Tom?' vraagt Jesse.
'Dat kan niet.'
'Ja, ik zag hem echt!' roept Bibi.
Bibi heeft gelijk.
Tom is op tv!

Hij staat bij het hek van de boerderij.
En hij praat met een man.
De man vraagt: 'Wat is er gebeurd?'
Tom kijkt boos.
'Vannacht is hier fik gestookt!
Ik had pas prikkeldraad op het hek gemaakt.
Maar dat heeft niets geholpen.
Iemand is over het hek geklommen.
Er is hooi in brand gestoken.
Dat lag bij de hokken van de konijnen.'

Bibi geeft een gil.
'Brand! Er was brand!
Bij Tippie!'
Jesse voelt zijn hart bonzen.
Tom vertelt nog meer.
'Tien konijntjes zijn gestikt.
Door de rook.
Maar twee konijnen leven nog.'

Bibi gilt: 'Welke twee!'
Dat vertelt Tom niet.
Jesse krijgt het koud.
Net of het winter is.
Hij zou willen huilen.
Maar daar heeft hij geen tijd voor.
'Kom mee!' roept hij.
'We moeten weten of Tippie nog leeft!'
Hij holt naar buiten.
Daar staat zijn fiets.
Bibi springt achterop.
Jesse fietst zo snel als een trein.
Hij denkt: Tippie mag niet dood zijn ...
Het mag niet!
Het mag niet!
Jesse huilt.
Hij snikt.
De wind neemt zijn tranen mee.
Bij de kinderboerderij remt hij hard.
Bibi valt bijna van de fiets.
Ze rennen naar het pleintje.
Vlug naar de konijnen!

10 Geluk!

Op het pleintje is het raar leeg.
Het ruikt er naar rook.
Bibi roept: 'Moet je kijken!
Alle hokken zijn weg!
Ze zijn allemaal in de fik gegaan!'
Jesse kijkt om zich heen.
Waar is Tom?
Tom weet waar de konijntjes zijn.
De twee die nog leven ...

Tom is niet in de stal bij de koeien.
En hij is ook niet bij de biggen.
Is Tom soms bij de kippen?
Of voert hij de pauw?
Jesse en Bibi zoeken overal,
maar ze zien Tom nergens.
Jesse ploft in het gras.
Hij begint te snikken.
'Tippie ... is ... vast dood!'
Bibi aait Jesse over zijn arm.
Ze zegt: 'Niet huilen, Jesse.
Je krijgt geluk.

Want je hebt alle pluisjes
van de paardebloem geblazen.
En je hebt mijn roze schelp.
Die brengt ook geluk.'
Ineens geeft ze een gil.
'Jesse, ik zie een konijn!'
Jesse springt op.
'Waar? Waar?'
'Daar! In de wei!'
In de wei hupt een konijn.
Het is bruin.
Het heeft lange oren.
En het lijkt op een hondje.
'Tippie!'
Jesse stormt naar Tippie toe
en tilt hem op.
'Ik heb je weer!' juicht hij.
Bibi aait Tippie over zijn vacht.
En Jesse geeft hem kusjes.
Dan komt Tom eraan.
'Je hebt geluk, Jesse!' roept hij.
'Tippie heeft de brand overleefd.
En Grijsje ook.
Alle andere zijn dood.'
Bibi zegt: 'Wat erg, hè?
We zagen jou op televisie, Tom!
Wie heeft die fik gestookt?'

Tom haalt zijn schouders op.
'Ik weet het niet.
De politie zoekt het uit.
Wie steekt nou hooi in brand!
Dan ben je niet goed wijs.'
Bibi roept: 'Dan ben je een dierenbeul!'
Jesse denkt aan Stijn.
Deed Stijn het soms?
Sloop hij zijn huis uit?
Midden in de nacht?
Klom hij over het hek?
Over het prikkeldraad?
Pikte hij stiekem lucifers mee?
Of een aansteker?
Stak hij het hooi in de fik?

Jesse trekt Tom aan zijn mouw.
'Tom, ken je Stijn?
Een jongen met rood haar?

En met bolle wangen?'

Tom knikt.

'Ja, die ken ik wel.

Hij helpt me wel eens.

Die jongen is gek op dieren.'

Bibi gilt: 'Niet waar!

Stijn is een dierenbeul!

Hij heeft een spin gemold!'

Tom denkt na.

Hij zegt: 'Stijn deed de laatste tijd wel eens raar.

Soms plaagde hij de pauw.

Maar ik weet wel hoe dat komt.

Stijn is een beetje in de war.'

Jesse zegt: 'Dan lijkt hij op mijn oma.

Zij is ook in de war.

Dat komt omdat opa dood is.

Omdat ze hem zo mist.'

Tom knikt.

Hij zegt: 'Ja, en Stijn mist ook iemand.

Hij mist hem heel erg.'

'Is zijn opa ook dood?' vraagt Bibi.

'Nee', zegt Tom.

'Zijn opa is niet dood.

Maar wel iemand anders.

Vraag het Stijn zelf maar.

Kijk, hij staat daar bij de stal.

Geef Tippie maar aan mij.

Ik heb een nieuw hok voor hem.
Daar mag hij straks in.'
Jesse legt Tippie in Toms armen.
Hij wil niet naar Stijn.
Nog steeds is hij bang voor hem.
Misschien draait Stijn zijn arm wel om.
Of misschien geeft hij hem een stomp ...
Bibi pakt zijn hand.
'Kom mee', zegt ze.

II Altijd pech

Stijn zit op de grond.
Hij maakt putjes in de grond.
Met de punt van een stokje.
'Hoi, Stijn', zegt Bibi.
'Heb jij die fik gestookt?'
'Nee', zegt Stijn.
Bibi roept: 'Ik geloof je niet!
Weet je wat wij denken?
Je bent een dierenbeul!
Want er lag een spin in je laatje.
Een spin zonder poten.'
Jesse gaat onder een boom staan.
Een heel eind van Stijn af.
Hij roept:
'En in mijn rugzak zat een dooie kikker!
En in mijn laatje lag een slak!
Heb jij dat gedaan?'
Stijn gooit het stokje weg.
Hij begint te snikken.
'Ik ... ben ... geen ... dierenbeul!
Die spin vond ik bij ons huis!
De poten waren er al af.

Ik heb hem in een doosje gedaan.
Want ik wilde hem bewaren.'
Jesse roept: 'En hoe zit het dan met die slak?
En met die kikker?'
Stijn zegt: 'Ik was boos op jou, Jesse!
Omdat je mij een domme oen noemde.
Daarom deed ik die kikker in je rugzak.
Maar die was allang dood!
En die slak had mijn vader doorgeknipt.
Per ongeluk!
Toen hij grasmaaide.
Ik ben geen dierenbeul!
Echt niet!'
Jesse haalt diep adem.
Hij zegt: 'Je wilde dus gewoon wraak nemen.
Omdat je kwaad op me was!'
Stijn snikt nog een beetje na.
'Ja, want ik heb altijd pech!
Ik ben dom met rekenen!
En voetballen kan ik ook al niet.
Ik kan niks.
En jij bent goed in alles!'
Bibi roept: 'Je was dus jaloers op Jesse!
En daarom wilde je geen vriendjes meer
met hem zijn!
Heb ik gelijk of niet?'
Stijn knikt.

Hij veegt langs zijn ogen.
Dan zegt hij zacht: 'Ik heb echt altijd pech.
En nou ... heb ik ook al geen hond meer!'
Jesse schrikt.
Heeft Stijn geen hond meer?
Zit Doedas in een asiel?
Of is hij weggelopen?

Stijn vertelt wat er is gebeurd.
'Doedas is dood.
Eerst werd hij ziek.
Hij wilde niet meer eten.
En hij kon niet meer lopen.
Hij jankte van de pijn.
De dokter gaf hem een drankje.
Maar dat hielp niet.'
Bibi vraagt: 'En toen?'
Stijn veegt zijn neus af aan zijn mouw.
Hij zegt: 'En toen kwam ik vandaag uit school.
We gingen weer naar de dokter.
En toen ...'
Bibi raadt het al.

'De dokter gaf Doedas een prikje.
En na een poos stierf hij.'
Stijn knikt.
'Mijn hond ligt in een doos.
Mijn vader maakt een graf voor hem.
In onze tuin.
Maar dat wilde ik niet zien.
Ik ben gevlucht.
Hierheen dus.'
Bibi slaat haar arm om Stijn heen.
'Wat zielig voor je, Stijn!'
Jesse loopt naar Stijn toe.
Hij is niet bang meer voor hem.
Arme Stijn.
Hij heeft echt altijd pech.
Jesse weet niet wat hij moet zeggen.
Bibi weet het wel.
Ze roept: 'Stijn, je moet naar huis gaan!
Maar je hoeft niet alleen.
Want wij gaan met je mee!'

12 Slaap lekker, Doedas

In de tuin van Stijn staat een man.
Het is de vader van Stijn.
Hij graaft een kuil onder een boom.
Op een stoel staat een doos.
Stijn zegt: 'Daar ligt mijn hond in.
Willen jullie hem zien?'
Stijn doet het deksel van de doos open.
Jesse knijpt zijn ogen dicht.
Zou een dode hond eng zijn?
Zou er bloed uit zijn lijf komen?
Of vies slijm?
Dan hoort hij Bibi roepen:
'O, wat is hij lief!'
Jesse gluurt tussen zijn oogharen door.
Doedas ligt op zijn zij in de doos.
Met zijn kop op zijn poten.
Het is net of hij slaapt.
Stijn streelt hem over zijn vacht.
Jesse durft het ook.
Bibi aait Doedas over zijn kop.
Ze zegt: 'Dat vinden honden fijn.'
Stijns vader komt naar hen toe.

Hij kijkt Stijn aan en vraagt:
'Zullen we Doedas
dan nu maar begraven?'
Bibi aait Stijn over zijn arm.
Ze zegt: 'Het moet wel, Stijn!'
Stijns vader tilt de doos op.
Hij laat hem in de kuil zakken
'Dag Doedas', zegt Jesse.
'Slaap lekker, lieve hond', zegt Bibi.
Stijn zegt niets.
Hij huilt.
Jesse moet ook bijna huilen.
Stijns vader gooit aarde
op de doos.
'Dag beste hond', zegt hij zacht.
Dan geeft hij de schep aan Stijn.
Maar Stijn wil geen aarde
op Doedas gooien.
Daarom doen Jesse en Bibi het.
Na een poos is de kuil dicht.
In de boom zingt een merel.
Het klinkt veel te blij.
Bibi plukt een tulp.
Ze zet hem op het grafje.
Dat staat vrolijk.
Jesse bedenkt iets.
'Er moet nog een steen op het graf.'

Met de naam van de hond erop.'
Stijns vader vindt dat een goed idee.
Hij haalt een tegel uit de schuur.
Stijn draagt hem naar binnen.
Hij pakt zijn verfdoos en kwastjes.
Dan gaan ze aan het werk.
Ze verven de steen rood, groen,
blauw en oranje.
Hij wordt prachtig.
Na een tijdje is de verf droog.
Stijn schrijft een naam op de steen.
De naam van zijn hond:

DOEDAS

Bibi maakt er nog een hartje bij.
Stijns vader spuit lak over de steen.
Anders gaat de verf eraf als het regent.
Stijn legt de steen op het grafje.
Dan gaan ze weer naar binnen.
Ze kijken sip.
Stijns vader zet een bak chips neer.
Stil zitten ze te knabbelen.
Stijn zegt: 'Nu ben ik helemaal alleen.'
'Niet waar!' roept Jesse.
'Want je hebt ons toch!
En je vader!'
Bibi wil Stijn blij maken.
Ze vraagt: 'Ga je mee?
Naar mijn woonboot?
Dan laat ik je mijn knuffel zien.
Hij heeft net zoveel kleuren als ...
als de steen van Doedas.'

13 Vrienden

De woonboot deint zachtjes op en neer.
Bibi's moeder is aan het koken.
De kinderen vertellen haar alles.
Bibi's moeder trekt Stijn op schoot.
Ze geeft hem een kus en zegt:
'Arm kind.
Wat heb je een pech.
Maar ik heb lekkere hapjes voor jou!
Lekker eten helpt goed bij verdriet.'
Ze zet drie schaaltjes op tafel.
Mmmm ... balletjes gehakt!
En frietjes met pindasaus.
En nasi en bami!
Jesse en Bibi smullen.
Maar Stijn heeft geen trek.
Bibi's moeder aait hem over zijn kuif.
'Je mist je hondje, hè?'
'Ja mevrouw', zegt Stijn verdrietig.
Jesse denkt na.
Hoe kan hij Stijn weer vrolijk maken?
Lekker eten lust hij niet.
Bibi's moeder zingt een liedje voor hem.

Een mooi liedje over de zon.
En Bibi laat haar papegaai praten.
'I love you! I love you!'
Maar Stijn kijkt nog steeds sip.
Opeens heeft Jesse een plan.
Hij zegt: 'Stijn, moet je horen.
Bibi en ik hebben een konijn.
Hij heet Tippie.
En hij woont op de kinderboerderij.
Wij zorgen voor hem.
Wil jij ook voor hem zorgen?
Dan mag jij het meest met hem spelen.'
Op het gezicht van Stijn komt een lachje.
Met een zucht zegt hij: 'Ja, dat vind ik wel tof.'

Opeens krijgt hij honger.
Hij pakt zijn vork en begint te eten.
'Goed zo, kind', zegt Bibi's moeder.
Ze zet het raam open.
Er vliegt een vlinder naar binnen.
Ze fladdert naar Stijn toe.

Net of ze hem een kusje wil geven.
Stijn vangt de vlinder.
Dat doet hij heel slim.
Hij maakt een kommetje van zijn handen
en loopt naar het raam.
Daar laat hij de vlinder vrij.
Ze vliegt weg over het water.
Bibi stoot Jesse aan.
Ze fluistert: 'Stijn is geen dierenbeul!
Anders had hij die vlinder wel een mep gegeven.'
Jesse knikt.
Nee, Stijn is geen dierenbeul.
Dat weet hij nu zeker.
Hij stopt zijn hand in zijn broekzak.
Daar zit de roze schelp.
Hij schuift hem naar Stijn toe.
'Die mag jij', zegt hij.
Hij kijkt naar Bibi.
Vindt ze het wel goed wat hij doet?
Ja. Bibi vindt het lief van Jesse.
Stijn vraagt: 'Waarom krijg ik dat ding?'
'Zomaar', zegt Jesse.
'Omdat Doedas er niet meer is.
Die schelp brengt geluk.'
Stijn vraagt: 'Heb ik dan nooit meer pech?
Niet met rekenen?
En ook niet met voetbal?'

Bibi zegt: 'Pech heeft iedereen wel eens!
Maar wij gaan je helpen met je sommen.
En Jesse leert je wel goaltjes maken.'
Stijn stopt de schelp in zijn sok.
Daar kan hij niet kwijtraken.
Hij neemt nog een hapje nasi en zegt:
'We zijn nu weer vrienden, Jesse?'
'Mij best', zegt Jesse.
Bibi's moeder lacht.
Ze vraagt: 'Lusten jullie een ijsje?'
En alledrie roepen ze: 'Ja!'

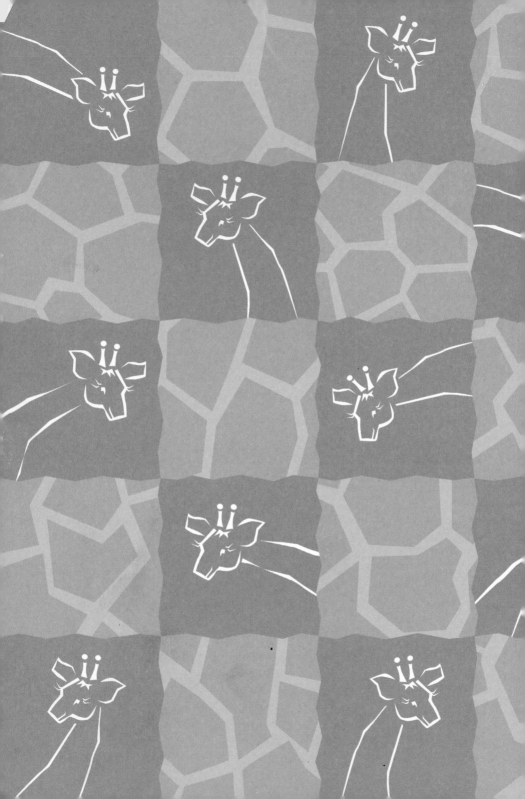